ZOÉ et THÉO

la fête à l'école

Catherine Metzmeyer & Marc Vanenis

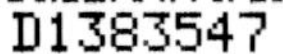

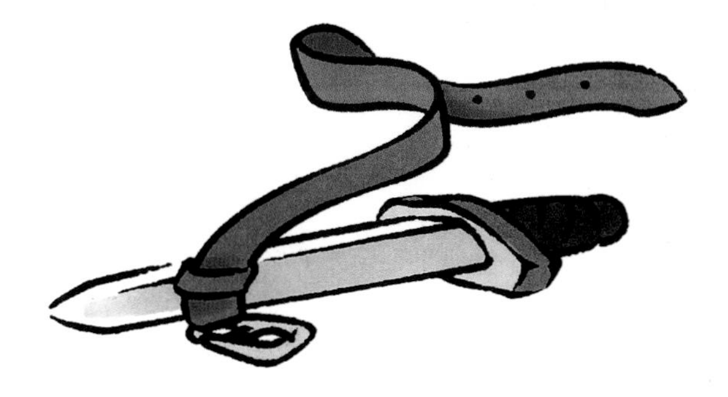

casterman

Aujourd'hui Zoé doit être belle, très belle, être la plus belle ! Encore un diadème et deux bracelets, ça y est ! Elle ressemble vraiment à une princesse. Prête pour le spectacle.

— Tu m'as vue, Théo ?
— Oui, oui, mais peux-tu m'aider ?

— Tu m'as vue, Sami ?
— Tu n'as pas vu ma ceinture, Zoé ?

— Tu m'as vue, Lola ?
— Ma coiffe ne tient pas, Zoé !

Décidément personne ne s'intéresse à elle!
Dépitée, Princesse Zoé se réfugie derrière le grand rideau.

Quand soudain... pan, pan, pan... Les trois coups résonnent et le rideau s'ouvre !

Zoé terrifiée se retrouve, seule, face à tous
les spectateurs.

Heureusement, les autres acteurs entrent en scène.
Le spectacle commence.

« — Soyez prudente, Princesse charmante, tonne le chevalier.
Un dragon rôde aux alentours du château.
Nous le poursuivons sur nos chevaux.

— Oh ! mais est-ce de ce petit dragon en pleurs
que je dois avoir peur ?
Pourquoi ces larmes devant moi qui suis sans
armes ?

— Ne voyez-vous pas comme je suis laid, se lamente le monstre. Tout le monde me hait.
— Moi, je vous trouve très craquant, et je pose sur votre joue un baiser bien pétant! s'exclame Princesse Zoé.

Aussitôt apparaît un beau prince.
— Merci, jolie Princesse, mon trésor, vous m'avez délivré d'un mauvais sort. »

— Bravo, bravo, hurle la salle en délire.
Quel beau spectacle c'était !

— Tu m'as bien vue, papa ?
— Une vraie princesse, la plus belle, ma Zoé.
Mais c'est le public qui était le roi !

Imprimé en Italie
Dépôt légal février 2005 ; D2005/0053/57.
Déposé au ministère de la Justice (loi n° 49.956 du 16 juillet 1949 sur les publications destinées à la jeunesse).